À tous les membres de

L'apprentissage de la lecture est l'une des réa[...] importantes de la petite enfance. La collection [...] pour aider les enfants à devenir des lecteurs experts qui aiment lire. Les jeunes lecteurs apprennent à lire en se souvenant de mots utilisés fréquemment comme « le », « est » et « et », en utilisant les techniques phoniques pour décoder de nouveaux mots et en interprétant les indices des illustrations et du texte. Ces livres offrent des histoires que les enfants aiment et la structure dont ils ont besoin pour lire couramment et sans aide. Voici des suggestions pour aider votre enfant avant, pendant et après la lecture.

Avant

Examinez la couverture et les illustrations, et demandez à votre enfant de prédire de quoi on parle dans le livre.

Lisez l'histoire à votre enfant.

Encouragez votre enfant à dire avec vous les formulations et les mots qui lui sont familiers.

Lisez une ligne et demandez à votre enfant de la relire après vous.

Pendant

Demandez à votre enfant de penser à un mot qu'il ne reconnaît pas tout de suite. Donnez-lui des indices comme : « On va voir si on connaît les sons » et « Est-ce qu'on a déjà lu un mot comme celui-là? ».

Encouragez l'enfant à utiliser ses compétences phoniques pour prononcer d'autres mots.

Lorsque l'enfant a besoin d'aide, lisez-lui le mot qui pose un problème, pour qu'il n'ait pas trop de mal à lire et que l'expérience de la lecture avec les parents soit positive.

Encouragez votre enfant à lire avec expression... comme un comédien!

Après

Proposez à votre enfant de dresser une liste de mots qu'il préfère.

Encouragez votre enfant à relire ses livres. Il peut les lire à ses frères et sœurs, à ses grands-parents et même à ses toutous. Les lectures répétées donnent confiance au jeune lecteur.

Parlez des histoires que vous avez lues. Posez des questions et répondez à celles de votre enfant. Partagez vos idées au sujet des personnages et des événements les plus amusants et les plus intéressants.

J'espère que vous et votre enfant allez aimer ce livre.

Francie Alexander,
spécialiste en lecture
Groupe des publications
éducatives de Scholastic

Pour Erin Claire, qui brille comme une étoile.
— J. Marzollo

Pour Ruth et Bill, qui mettent des étincelles dans ma vie.
— J. Moffatt

Données de catalogage avant publication (Canada)

Marzollo, Jean
  Moi, l'étoile...

(Je peux lire!. Niveau 1. Sciences)
Traduction de : I am a star.
ISBN 0-439-98632-X

1. Étoiles – Ouvrages pour la jeunesse. I. Moffatt, Judith. II. Duchesne, Lucie. III. Titre.
IV. Collection.

QB801.7.M3714 2001   j523.8   C00-932764-9

Édition publiée par Les éditions Scholastic,
175 Hillmount Road, Markham (Ontario) L6C 1Z7

5 4 3 2 1 Imprimé au Canada 01 02 03 04 05

Moi, l'étoile...

Texte de Jean Marzollo

Illustrations de Judith Moffatt

Texte français de Lucie Duchesne

Je peux lire! — Sciences — Niveau 1

Les éditions Scholastic

Je suis une étoile.

Le jour, tu ne peux
pas me voir.
Il y a trop de lumière.

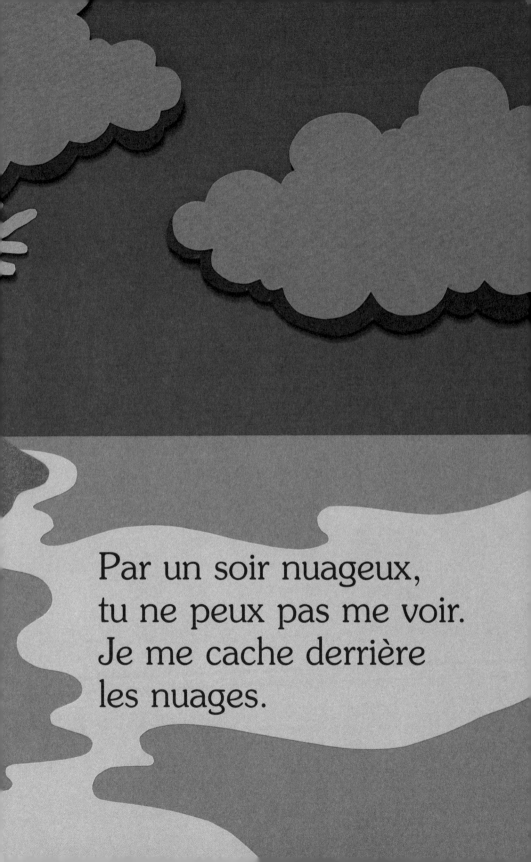

Par un soir nuageux,
tu ne peux pas me voir.
Je me cache derrière
les nuages.

Par une nuit sans nuages,
tu peux voir les étoiles.
Depuis longtemps, les gens
voient des dessins
dans les étoiles.

Ces dessins s'appellent
constellations.

Certaines personnes
voient des ours.
D'autres voient des
chaudrons.

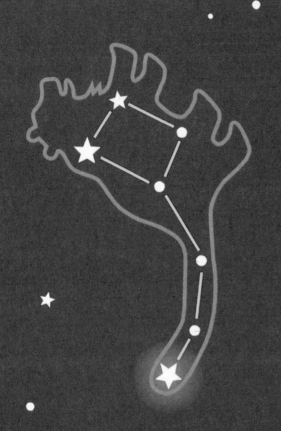

Je suis la dernière étoile
de la Petite Ourse.
Peux-tu me voir?
Je suis l'astre du Nord.
On m'appelle aussi étoile
Polaire.

Attends quelques mois.
Regarde de nouveau.

Toutes les étoiles ont bougé,
sauf moi!
Peux-tu encore me voir?

Je reste au nord.
Les marins trouvent
leur chemin grâce à moi.

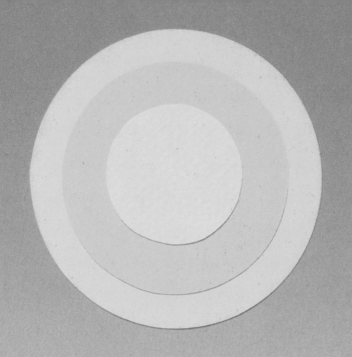

Le Soleil est une étoile.
C'est l'étoile la plus près de toi.
Elle t'apporte de la chaleur
et de la lumière.

La Lune n'est pas une étoile.
Elle reflète la lumière
du Soleil.

Pour mieux voir les étoiles,
il te faut un télescope.

L'étude des étoiles
s'appelle astronomie.
Les gens qui étudient les
étoiles sont des astronomes.
Ils utilisent de
GROS télescopes.

Quelles formes d'étoiles
peux-tu fabriquer?

États-Unis

Chine

Israël

Porto Rico

Il y a des étoiles sur les drapeaux de certains pays.

Connais-tu une
chanson sur
les étoiles?

Par un beau ciel étoilé,
à quoi rêves-tu?